KAHI

THE FIRST MINI ALBUM 돌아와 나쁜 너

CREDITS

Producer HAN SUNG SOO

Executive Supervisor 정해창
Marketing Director 이영은
Strategic & Creative Director 박제준

Production Director 유정희
Artist Development 박선희, 조미희, 정환수
Artist Management & Media Promotion
정을권, 안소량, 진기찬, 장인혁, 조영운, 이승민, 강경구

Art Direction & Design 권은정
Filming & Editing 김수진
A&R 유초롱, 김정민

New Media & Marketing 김다운
Customer Relationship Management 이은경
Public Relations 이예슬
General Administration & Accounting 김정열

Vocal Director 김희선, 배진렬(JR GROOVE)
Recording Engineer 김민희(W Sound), 김한별(MOJO Sound)
Mixing Engineer 조준성(W Sound), 최재영(MOJO Sound), 김한구
Mastering Engineer 전훈 (Sonic Korea)
Guitar 이성열, 배진렬(JR GROOVE)
Piano 배진렬(JR GROOVE)
Chorus 김효수, 김희선
String by 융 스트링

Style Director 최희진(Style Story)
Stylist 박상윤, 맹미선 Asst. 이하나, 진석영, 윤현진(Style Story)
Hair Stylist 범호 Asst. 주연(Jenny House)
Make-up Artist 무진 Asst. 박정현(Jenny House)
Choreographer 김창섭, 이혁주, 윤혜림(With), 백구영&이솔미
Photographer 김영준 Asst. 박인혜(GRADE), 박정민 Asst. 오태진(GRADE)
M/V Director 조수현 (p.nuts)

Presented by

KAHI

THE FIRST MINI ALBUM 돌아와 나쁜 너

나는 가희다

가희 '여자가수를 아름답게 이르는 말', '젊고 아리따운 여자'

하나.

나는 가희다

나는 일남 삼녀의 셋째 딸.

할아버지와 할머니의 손에 자랐다.

하나님 없이는 살 수 없는 크리스챤.

O형이지만 B형이 다분하다.

아이스 아메리카노를 좋아하지만 가끔 부드러운 라떼로 녹여준다.

비욘세와 마돈나를 사랑하지만 cold play 와 maroon5를 즐겨 듣는다.

무슨 일이든 자기 일을 멋지게 해내는 프로를 좋아한다.

얼리어답터 같은 면이 있지만 아날로그를 좋아한다.

운전하는 걸 좋아하지만 자전거를 타고 걷는 걸 즐긴다.

안젤리나 졸리와 브래드 피트를 좋아한다.

작사는 컴퓨터를 이용하지만 손글씨를 좋아한다.

기타와 피아노를 친다.

움직이는 걸 좋아한다.

고집이 세고 자존심이 강하지만 눈물이 많고 소심하다.

혼자있는 걸 좋아하지만 혼자인 건 싫다...

가을을 좋아하고... 추운 건 싫어하지만 눈을 좋아한다.

더운 건 싫어하지만 여름의 낭만을 좋아한다.

사람을 좋아하지만 상처가 많다.

상처가 많지만 정 없는 인간관계는 싫다.

체력은 좋지만 가끔은 피곤하다.

의심이 많지만 사람을 좋아하게 되면 충성적이다.

초콜릿을 좋아한다.

좋아하는 색은 black, white, red.

하지만 가끔은 무채색으로 산다.

물티슈를 좋아한다.

립밤과 핸드크림이 없으면 안 된다.

향수는 creed를 쓴다.

크롬하트를 좋아한다.

요가, 필라테스, 발레를 배운다.

도쿄와 뉴욕을 좋아하지만 하와이에 살고 싶다.

향초를 좋아한다.

로맨티스트를 좋아한다.

사랑이 두렵지만 사랑을 기다린다.

춤을 사랑하고 노래하는... 음악과 함께 사는...

'여자가수를 아름답게 이르는 말', '젊고 아리따운 여자'라 하는...
나는 '가희'다.

나의 시작, 그리고...

난 지금 이 순간에도 무대가 목마르다.

둘.

나의 시작, 그리고...

   시작... 언제부터가 시작이었을까...?
집을 뛰쳐나와 기차를 타던 20살의 여름?
아니면... 미애언니를 만나 춤에 반해 춤에 미친 20살의 겨울?
신기루 같았던 미국 라스베가스 무대?
아니면... 애프터스쿨 멤버를 모으고 무대를 준비하던... 29살의 겨울?
데뷔무대? 상 받던 순간?.................

   나의 시작은...! 12년 전부터 시작 되었던 것 같다. 그 시간이 없었다면 지금의
가희도 없으니까... 그래... 나의 시작은 춤이었다. 난 춤이 너무 좋아서 가수가 되
고 싶었던 거였다. 그때는 마냥 철부지처럼 춤을 쫓아다녔다. 아무 생각 없이...
나의 20대는 기다림의 연속... 실패와 실패의 연속... 눈물과 아픔으로 뒤범벅 되어
버린... 난 그렇게 매 순간 필사적이었다. 살아남기 위해. 인정받기 위해. 힘들었던
그 시절, 그러나 난 그때의 낭만을 아직도 기억하고 있다.

   연습실 창문으로 들어오던... 온몸으로 느껴질 수 밖에 없었던 그 햇살...
연습실에 울려 퍼지는 베이스...
울고 웃었던 그 시절 우리만의 비밀이야기...
차가운 한 잔의 커피로 웃고 떠들었던 천진난만함.
연습생들간의 피 터지는 경쟁...

그러던 와중 얻은 내 인생의 가장 큰 기회! 애프터스쿨!!

멤버 모두 각자의 매력을 가지고 있었기에 우리는 자신이 있었다. 그렇게 애프터스쿨이 만들어졌고 친구이자 소속사 동료인 손담비 양의 무대에 정아와 함께 세상에 첫 걸음을 내딛었다. 가수로서의 첫 무대. 그 긴장감은 아직도 날 설레게 한다. 그 가슴 떨리던 첫 무대 이후 애프터스쿨은 세상의 관심을 받기 시작했고 우리는 연습에 박차를 가했다.

2009년 1월 17일.
충분히 파격적이었던 데뷔 무대. 한국의 푸시켓돌스가 되겠다던 우리는 신나게 무대에서 놀아버렸다. 힘들었던 연습생 시절을 보상받기라도 하듯 사람들은 우리를 조금씩 좋아해주고 있었다. 한 목소리로 애프터스쿨을 외치는 함성. 그리고 우리의 노래를 함께 불러주는 팬들.

그들의 함성소리가 커질 때 마다 나를 비롯한 애프터스쿨 멤버들은 무언가 설명 할 수 없는 뜨거운 에너지를 얻게 되었다. 우리의 무대를 보여줄 수 있는 시간 최대 3분... 그 짧은 시간 동안 가장 뜨겁게 응원을 보내주는 팬들은 그 존재만으로도 내 가슴을 벅차게 한다. 지금 이 순간 이 글을 읽고 있을 언제나 나와 함께 할 동행자들, 박가희라는 사람을 가장 빛나게 만들어 주는 나의 소중한 보물. 이렇게 행복한 순간에도 나는 좋은 언니가 되는 것보다 팀의 리더로서 팀이 우선이었고 그래서 항상 나와 멤버들을 채찍질 했다. 이 말이 애프터스쿨 안에서의 내 역할을 정확히 표현해주는 것 같다. 신입생 유이, 레이나, 나나, 리지가 들어오면서 애프터스쿨은 더 신선하고 멋진 그룹으로 거듭났고 앞을 향해 쉼 없이 달려나갔다...

특히 '뱅'은 내가 꿈꿔왔던 퍼포먼스를 했던 무대여서 그런지 특별히 애착이 가는 곡이다. 4년 전 난 영화 '드럼 라인'을 보고 소름이 끼치도록 몸이 떨리는 큰 충격을 받았다. 그리고 반드시 드럼 퍼포먼스를 무대에서 보여주리라 다짐했다.

사실 데뷔 앨범 컨셉에서 제안을 했으나 너무 광범위하고 위험한 도전이었기에 보기 좋게 거절당했던 기억이 난다. 하지만 '애프터스쿨만이 할 수 있는 무대! 충분히 멋진 무대!'를 만들 수 있겠다는 대표님의 확신이 서자 우린 바로 드럼을 배우기 시작했다. 스네어 드럼. 손가락에서 피가 나고 멍이 들고 마디마디 퉁퉁 부어 오르는 고통을 겪으면서 우린 조금씩 조금씩 세상을 놀라게 할 준비를 했다. 뮤직비디오 촬영 전... 경기도 인근 산 속에 들어가 밥 먹고 춤추고 드럼치고 자고... 그 며칠 동안 반복한 유일한 네 가지 일!! **그렇게 컴백한 순간! '뱅!' 우린 해냈다.** 짜릿짜릿했다. 피가 터진 손가락이 굳어버리진 않을까... 드럼 스틱이 날아가진 않을까... 드럼과 맞닿아 시퍼렇게 멍이 들어버린 허벅지의 상처가 보이진 않을까... 많은 긴장 속에 시작되었지만 우린 충분히 멋진 무대를 만들었다. 오랜 숙원이었던 퍼포먼스 때문이었을까?...

난 지금 이 순간에도 무대가 목마르다...

애프터스쿨!! 난 이 그룹이 내가 아줌마가 되어서 양손에 아이를 안고 TV를 보는 순간에도 내 엉덩이를 들썩거리게 하는 음악을 하는 그룹으로 지속되길 바란다. 물론 앞으로 가야 할 길이 너무나 멀지만 우리는 우리의 미래인 애프터스쿨을 위해 지금도 앞으로도 계속 달려나갈 것이다. 신입생이 들어와 다음 앨범을 기다리고 있는 지금... 모두의 마음속에 열정으로 가득 찬 춤과 노래, 그리고 항상 초심이 가득하길 바란다. 잠시 팀을 떠나 홀로서기에 들어간 지금... 두렵기도 하고 부담스럽기도 하고... 책임감이 더 크게만 느껴진다. 그러나 나를 사랑하고 믿어 주는 이들이 있기에... 내 가슴 속 끓어오르는 열정이 있기에! 그리고 나를 기다리는 무대가 있기에...! 너무나 많이 부족한 나 이지만... 박가희만의 무대를 위해 노력하고 노력하고 또 노력할 것이다.

노래를 멋지게 잘 부르기 위해.. 춤을 더 아름답게 표현 하기 위해...
기타와 피아노로 내 마음을 타기 위해...
나의 노래가 사람의 마음을 울고 웃게 하기 위해...
언젠가는 내가 직접 만든 노래로 삶에 향기를 주기 위해...
나의 노력은 아마...
60세 할매가 될 때까지도...
멈추지 않을 것이다.

나의 소중한 인연
한 분 한 분 소중한 인연이라 생각합니다. 감사합니다. 사랑합니다.

셋.

나의 소중한 인연

　사랑하는 할머니, 부모님과 형제... 지민언니, 재우오빠, 지혜... 언니는 첫째... 오빠는 장남... 동생은 막내... 난... 미운 오리새끼... 어린 마음에 참 당신들이 미웠다. 그런데... 와~ 지금 당신들 없이 내가 어떻게 살까 싶다. 너무 고맙고 사랑해요 나의 가족... 할머니! 빨리 일어나 걷고 뛰고 바닷길 가자... 사랑해~!!

　우리 PLEDIS 가족들!!! 한성수 대표님! 벌써 10년... 와... 징글징글... 특별한 인연 앞으로 10년 후에도 잘 부탁드립니다. 얼른 결혼하시구요! 감사해요... 감사해요... 감사하다는 말로는 부족할 정도로... 감사합니다... 정해창 사장님 제가 꼭 보답할 수 있도록 계속 든든하게 계셔주세요. 아프지 마시구요! 이영은 이사님, 박제준 이사님, 멋진 새 가족! 환상의 비즈니스 플레이! 멋져부러!! 감사합니다. 정희언니! 이게 도대체 몇 년인지... 너무 감사해요. 언니가 만들어 주는 앨범... 든든합니다! 지금은 없지만 너 없인 일이 안됐었어 세중아~ 실수 투성이고 어리버리 하지만 든든한 을권이, 은근 여자이길 포기하지 않고 일하는 소량이, 매일 욕먹지만 착한 남자 아랍왕자 인혁이, 브레인 열어보고 싶은 기찬이, 귀염둥이 현수, 새로 온 영운씨 승민씨 경구씨 앞으로 못나고 부족한 저 잘 좀 부탁해요... 우리 매니져들 화이팅!!! 낮이고 밤이고 어디가 집이고 어디가 회사인지도 모르게 일하는 우리 정열 과장님, 다운이, 은정씨, 수진씨, 정민씨, 예슬씨, 선희씨, 미희씨, 환수씨, 은경씨, 정민씨, 초롱씨 당신들이 우리 회사를 이끌어 가는 힘입니다!!! 잘 부탁드려요! **플레디스 화이팅!!!**

멋진 음악 주신 김태현 작곡가님... 돈 많이 벌어서 차 한대 사드리고 싶네요. 멋진 곡 감사합니다! 이제는 친구이자 없어서는 안 되는 보컬 디렉터 희선쌤. 너무 고마워요... 용감한형제 동철오빠. 오빠의 음악은 제 심장을 쥐고 흔들어요~ 멋쟁이... 보고싶어요~ 완수오빠! 오빠랑 노래하고 싶어요! 그립습니다.

창섭오빠, 혜림이, 혁주오빠, 경석오빠, 진수오빠 내가 얼른 돈 많이 벌어서 우리 댄서들 배부르고 등따시게 최고 댄서로 대접할께요! 항상 너무 고마워! 감사해요! 미애언니, 성은언니, 감자언니 너무 보고싶고 그리워요... 함께 춤추고 싶습니다!...

함께 일하게 된 스타일리스트 희진언니, 상윤언니, 미선언니, 하나, 석영이, 현진이. 믿습니다! 잘 부탁드립니다! 예전에 함께 했던 런던 프라이드 보윤언니, 은주, 아연이 인사도 제대로 못했네... 고마워요... 감사해요... 보고싶어요. 우리 제니하우스 식구들!! 범호오빠, 무진, 길주, 성은, 수화, 현정 쌤들~! 감사합니다 당신들 손은 어메이징이야~!! 현장 함께 뛰는 주연, 정현이... 너희들은 크게 될거야!! 화이팅!! 그리구 빽쏭이, 주희, 희선이, 수현이, 민희, 예산이, 형민이 모두모두 화이팅!

멋진 뮤직비디오 찍어주신 조수현 감독님. 나를 내가 아닌 아름다운 '여자'로 만들어 주신 포토그래퍼 김영준 실장님, 박정민 실장님 감사합니다~!! 대박입니다!!

시작부터 지금까지 도움주신 많은 소중한 분들 모두모두 감사합니다. 용량이 딸려서 이름을 기재 못했다고 생각하시는 분... 절 용서하시고 다음에 만나면 말해주세요. '야! 내 이름 없더라!!!!' 하구요... 제가... 참 감사합니다!!!!

사랑하는 동생이자 친구 담비. 언제나 곁에 있어줘서 고마워. 쏜땅! 내게 얼마나 힘이 되는지 넌 모를거야... 알지? 십년 뒤에도 같이 춤추고 노래하자~ 한강에서 기다리고 있어!! 지금은 자주 보지 못 하지만 친구라고 말하는 유일한 내 친구 홍바, 경민이, 채희, 수진이, 진현이, 보윤이, 현준이 사랑한다! 하하! 오서방 희원이, 너무 착한 나단이, 항상 fun한 뛴덕이, 맘씨 좋고 닮고 싶은 귀여운 키키언니, 따뜻한 사람 연하기형, 드세 보이지만 초딩 같은 서인자 매순간 즐겁게 살지만 속 깊은 상재오빠, 배울 점이 너무나 많은 윤기오빠, 아직 사춘기 소녀 같은 마음씨 여린 주연언니, 받은 것 열배로 돌려주고 싶은 착하고 예민한 빡소언니, 스더언니... 몇 안 되는 내 인간관계에 있어 줘서 너무 고맙구 감사해요!

우리 영웅호걸 멤버들. 제작진들 스텝들... 한 분 한 분 소중한 인연이라 생각합니다... 감사합니다! 항상 조용히 기도해주는 미제이 식구들, 컵예배 식구들, 드림교회 식구들... 감사합니다. 성공과 실패로 인생을 만드는 사람이 아닌 하나님 사람으로써 자랑스러운 딸이 되겠습니다. 기도로 승리하는 사람이 될게요!

우리 애프터스쿨 멤버 정아, 주연, 베카, 유이, 레이나, 나나, 리지... 그리고 신입생 이영... 우리 초심 잃지 말고 지금까지 해온 것처럼 무조건 본능적으로 열심히 하는 사람이 되자. 우리! 애프터스쿨은 영원히 간다! 화이팅!!!

그리고... 나의 든든한 버팀목 우리 팬클럽 '플레이걸즈' 항상 너무 감사하고 말로 많이 표현하지 못해도 많이 사랑하는거 알죠? 감사합니다. 사랑합니다.

마지막으로 사랑하는 나의 하나님... 당신에게 너무나 못된 나를 언제나 항상 따뜻하게 안아주시는 나의 하나님... 감사합니다. 사랑해요... 하나님 위해 춤추고 노래할게요.

나의 또 다른 시작 더 알고 싶다. 더 배우고 싶다. 음악에 미쳐서 예술가 처럼 살고 싶다.

넷.

나의 또 다른 시작

춤을 처음 추던 시절... 머리는 레게로 땋고 손톱은 길고 화려했고 바지는 크게... 탑은 타이트하게 신발은 팀버랜드 워커... 그러다 보니 듣는 음악도 대부분이 흑인음악이었다. brandy 와 monica, usher, destiny's child, madonna, R.kelly, Eve, baby face, ginuwine, janet jackson, toni blaxton, luther vandross, musiq...

그리고 cold play와 maroon 5의 음악을 들으며 밴드 음악을 알아갔다. 이 대단한 아티스트들은 내게 음악적 취향을 넓혀주었다. 그리고 blues, jazz, funky, acoustic 등 난 음악이란 세계에 혼자 사는 기분이었다. 하루 하루가 새로웠고 너무 재미있어서 배가 고프지도 않았다.

이런 음악들이 나를 즐겁게 만들었다면 진심으로 내가 음악이란 세계에 들어가고 싶었던 건... 추억의 가요이다. 난 이문세 선배님과 장혜진 선배님을 존경한다. 두 선배님의 노래를 들으면서 나만의 목소리를 가지고 싶다고 생각했고... 음악은 사람의 친구라고 생각했고... 나만의 철학을 담은 음악을 하고 싶다고 생각했다.

벌써 10년이 지난 이야기... 그 동안 난 많은 변화가 있었다. 상처가 많아 썩어가던 날도 있었고 곪아 터져 회복 불능의 시간도 있었고... 그런 반면 마냥 아이같이 웃으며 감사하게 살아가는 날도 있었다. 난 매 순간 순간에 후회는 없다. 나를 음악으로 채워주었던 시간이었으니까... 물론 내가 아는 음악이 세상에 뿌려진 천

만분의 일 밖에 되지 않을지도 모르지만 내가 아는... 그리고 내가 듣는 음악이 나는 너무 소중하다.

더 알고 싶다. 더 배우고 싶다.
음악에 미쳐서 예술가처럼 살고 싶다.

누군가는 내가 그저 딴따라인 춤쟁이로만 볼 수도 있겠지만 난 그것을 부정하지 않는다. 난 춤쟁이가 맞으니까... 하지만... 그것만으로는 만족하지 못 하는 난 욕심쟁이다.

이번 솔로 앨범을 준비하면서 난 더 큰 욕심쟁이가 된 것 같다. 음악, 춤, 노래, 컨셉, 심지어 헤어, 메이크업, 의상까지 생각나는 대로 많은 의견을 제시했다. 전체적으로 앨범 작업에 참여하는 건 너무 즐거운 일이다. 무에서 유를 창조하는 일... 비록 나의 의견이 모두 받아들여지지는 않지만 애프터스쿨의 리더 가희가 아닌 나 박가희 만의 색깔을 담을 수 있는 나의 첫 솔로 앨범에 내가 스스로 참여하고 내가 스스로 만들어나간 과정들이 정말 재미있고 설레였다. 그래서 더욱 더... 지금 난... 너무 신이 나서 죽을 지경이다. 하하하...

첫 솔로 앨범을 시작으로 앞으로 더욱 발전해 나가며 내가 세상에서 가장 사랑하는 음악을 세상에서 가장 사랑하는 사람들과 함께 나누고 싶다. 박가희만의 앨범!! 박가희만의 음악!! 언제나 어깨를 누르고 있던 팀의 리더로서의 책임감이 아닌 나 혼자만의 시간을 통해 음악 이상의 인생을 배우는 시간이 되기를 바란다.

때로는 춤으로 사람들의 엉덩이를 들썩거리며 뛰고 싶어지게...
때로는 손을 흔들며 함께 노래하고 싶어지게...
때로는 기타와 피아노로 얼굴에 미소를 가득 띄우게...

그렇게 희노애락이 가득한 나의 날개를 펼치는 무대를 꼭... 만들 것이다. 그때 한 가지 바람. 다른 사람들에게 보이기 위한 음악이 아닌... 모든 사람들이 느낄 수 있는 음악을 하기를 기도한다.

신! 나!! 게!!!

나의 첫 번째 홀로서기, 첫 번째 미니 앨범.

다섯.

나의 첫 번째 홀로서기,

첫 번째 미니 앨범.

1. 돌아와 나쁜 너

Composed by 김태현 Lyrics by 가희 Arranged by 김태현

*내 안의 니 안의 향기 오늘은 없어 니가 없는 난 오늘은 없어 음악이 흘러 내 눈물도 흘러 Baby don't leave me baby don't live me Rap. Hey 실수였다는 그말 아프게 나를 때려 지겨워졌다는 말 아프게 내 귀를 때려 이런 장난치지마 약한 난 무너져버려 너 아닌 사랑은 No! I told you someone is you *Repeat 손가락 사이로 느껴지던 너의 손 내 머릴 넘기며 키스하던 너의 입술 이렇게 매일을 살아 너와 함께 난 꿈에서 깨지 못해 그리워 미쳐 난 Hey 넌 내가 춤추는 이유 내가 노래하는 이유 내가 사랑한건 is you 숨길 수가 없어 *Repeat 손가락 사이로 느껴지던 너의 손 내 머릴 넘기며 키스하던 너의 입술 이렇게 매일을 살아 너와 함께 난 꿈에서 깨지 못해 그리워 미쳐 난 내 안의 니 안의 향기 오늘은 없어 Baby don't leave me baby don't live me 이렇게 매일을 살아 너와 함께 난 꿈에서 깨지 못해 그리워 미쳐 난

Vocal Directed by 김희선 Recording Engineer 김민희(W Sound)
Mixing Engineer 최재영(MOJO Sound) Chorus 김희선

2. One Love

Composed by 배진렬(JR GROOVE), 정지영 Lyrics by 배진렬(JR GROOVE)
Arranged by 배진렬(JR GROOVE)

차가운 바람이 또 내 맘을 스치면 숨기고 싶지만 니가 생각나 시간이 지나면 난 괜찮아질거야 하지만 사랑은 남을거야 oh 내 맘을 알아줘 **지금 너는 어디에 서서 나를 기다리고 있니 태연하게 말해봐 사랑한다고 너 소리쳐봐 I'll Love You don't wasted time 너를 사랑해 난 oh 난** 차라리 말해줘 또 네 맘을 보여줘 내가 아니라고 나는 괜찮아 oh 오늘도 이렇게 난 너만을 기다려 한사람만 보는 바본가 봐 oh 내 맘을 알아줘 ***Repeat** 미안하단 말은 하지도 마 더 초라하게 그 말을 꺼내지는 마 그 말 믿고 싶지 않아 그냥 내게 돌아와 나만 바라봐줘 ***Repeat**

Vocal Directed by 김희선, 배진렬(JR GROOVE) Recording Engineer 김한별 (MOJO Sound), 김민희(W Sound) Mixing Engineer 조준성(W Sound) Guitar 배진렬(JR GROOVE) Piano 배진렬(JR GROOVE) Chorus 김효수

3. 선물

Composed by 박상헌 Lyrics by 박상헌 Arranged by 박상헌

이젠 웃어도 돼 내가 있으니까 힘들었던 하루도 이 밤이 오면은 So I Love You 난 언제까지 너의 곁에 우리 사랑 얘기 이젠 시작이야 수없이 다퉜지만 이별도 해봤지만 Cause I Love You 난 절대 널 놓치지 않아 널 **사랑하는 마음은 언제나 영원해 조금도 변하지 않을래 지켜봐줘 내 소중한 사람 내 삶이 끝나도 다른 사람은 없어 나에겐 너 하나만 있으면 돼** 수많은 연인들도 모두 우리만큼 행복할까 다 줄 수 있는 것은 사랑밖엔 없지만 So I Love You 모두 네게 줄거야 이젠 **널 사랑하는 마음은 언제나 영원해 조금도 변하지 않을래 지켜봐줘 내 소중한 사람 내 삶이 끝나도 다른 사람은 없어 나에겐 너 하나만 있으면 돼** 힘들고 지친 하루 끝에서 항상 나를 믿어주는 니가 있어 행복해 넌 모를거야 얼마나 널 기다렸는지 하늘이 내게 준 선물은 바로 너야 내 소중한 사람 언젠가 또 다른 세상에 태어나도 다시 사랑할 사람 너뿐이야

Vocal Directed by 김희선 Recording Engineer 김민희(W Sound) Mixing Engineer 김한구 Asst. 장지복, 신지영(Dream Factory) String Arranged by 류영민 String by 융 스트링 Piano 이나현 Guitar 이성열 Chorus 김효수

4. 롤러코스터

Composed by David Maiocchi, Viktoia Sandstr, Jacob Oloffson   Lyrics by 가희
Arranged by Maiocchi / Sandstr / Oloffson

따듯하게 날 꽉 안아주던 너 떠오르지가 않아 오늘은 왜 날 밀어내려는건지 차가워진 너의 눈 도대체 알 수가 없는 너 *자꾸 날 흔들어놔 I can't control myself on you 눈물은 더 이상 싫어 날 들었다 놨다 해 내 맘을 가지고 놀아 Like a Rollercoaster Rollercoaster Rollercoaster but don't know why feeling so good Rollercoaster Rollercoaster Rollercoaster coaster coaster 차라리 cool하게 내가 널 차버리고 멋있게 꺼져줄까 취한 니 목소리가 또 날 찾아와 대체 내게 뭘 원해 도대체 알 수가 없는 너 You make me up & down again *Repeat if you come and kiss me now that make me satisfy if you say "trust me now" i'll tallya please don't tell me lie if you come and kiss me now that make me satisfy if you say "trust me now" i'll tallya please don't tell me lie 날 사랑한단 니말 한번도 잊은 적 없어 하지만 모두 거짓말 널 떠날 수가 없어 이런 내가 나도 싫어 Like a Rollercoaster Rollercoaster Rollercoaster but don't know why feeling so good Rollercoaster Rollercoaster Rollercoaster coaster coaster Like a Rollercoaster Rollercoaster Rollercoaster but don't know why feeling so good Rollercoaster Rollercoaster Rollercoaster coaster coaster

Vocal Directed by 김희선 Recording Engineer 김민희(W Sound) Mixing Engineer 김한구 Asst. 장지복, 신지영(Dream Factory) Chorus 김희선

Original Composer/Writer David Maiocchi, Viktoia Sandstr, Jacob Oloffson
Original Publisher Scandinavian Songs AB, Mr.Radar Music AB
Sub-Publisher Warner Chappell Music Publishing Korea, Fujipacific Music Publishing Korea